O PEQUENO PRÍNCIPE PRETO

RODRIGO FRANÇA

O PEQUENO PRÍNCIPE PRETO

Ilustrações
Juliana Barbosa Pereira

Editora
Nova
Fronteira

Copyright © 2020 by Rodrigo França
Copyright © das ilustrações 2020 by Juliana Barbosa Pereira

Direitos de edição da obra em língua portuguesa no Brasil adquiridos pela EDITORA NOVA FRONTEIRA PARTICIPAÇÕES S.A. Todos os direitos reservados. Nenhuma parte desta obra pode ser apropriada e estocada em sistema de banco de dados ou processo similar, em qualquer forma ou meio, seja eletrônico, de fotocópia, gravação etc., sem a permissão do detentor do copirraite.

EDITORA NOVA FRONTEIRA PARTICIPAÇÕES S.A.
Rua Candelária, 60 — 7º andar — Centro — 20091-020
Rio de Janeiro — RJ — Brasil
Tel.: (21) 3882-8200

Impresso na COAN.

CIP-BRASIL. CATALOGAÇÃO NA PUBLICAÇÃO
SINDICATO NACIONAL DOS EDITORES DE LIVROS, RJ

F883p   França, Rodrigo
         O Pequeno Príncipe Preto / Rodrigo França ; ilustração Juliana Barbosa Pereira. -1. ed. - Rio de Janeiro : Nova Fronteira, 2020.
         32 p. : il. ; 28 cm.

         ISBN 9788520938386

         1. Negros - Identidade racial - Literatura infantojuvenil. 2. Literatura infantojuvenil brasileira. I. Pereira, Juliana Barbosa. II. Título.

Meri Gleice Rodrigues de Souza - Bibliotecária CRB-7/6439

Para toda a minha ancestralidade,
com respeito e gratidão.

O PLANETA DO PEQUENO PRÍNCIPE PRETO

Em um minúsculo planeta mora um menino preto com uma árvore Baobá. O menino gosta muito de regar a Baobá, que é sua única companheira.

— Vocês só estão me ouvindo, mas não conseguem me ver. Estou atrás do tronco de uma árvore, da Baobá. É uma árvore linda, imensa, gigante. Estou de braços abertos tentando envolvê-la, mas não consigo. Precisaria de duas, três, quatro... De muita gente. Abraçar a Baobá é uma troca de força, de energia. Sabe quando a bateria está fraca? Então, eu venho aqui e recarrego.

Ah, já ia esquecendo: eu sou o Príncipe deste planeta. A Baobá disse que sou o Pequeno Príncipe. Ela é a Grande Princesa.

Este planeta é tão pequeno que só cabemos nós dois aqui. Em breve seremos três. Comparado a um planeta chamado Terra, aqui é tão pequeno que parece um grão de areia. Existem outros planetas espalhados por esse infinito Universo. Conheço alguns, mas o meu sonho é conhecer todos, um a um. Saber quem mora nesses lugares e o que fazem. Enquanto faço isso, deixo a semente da Baobá, porque quero espalhar por aí o que tenho de mais precioso: ela e o UBUNTU.

Foi uma promessa que fiz para a Baobá. Mas, para sair daqui, preciso aproveitar as ventanias, que só aparecem de vez em quando. Então, quando elas aparecem, eu saio voando, voando.

Eu não sei quem veio primeiro. O planeta ou a Baobá. Ela é uma árvore sagrada, milenar. Está há tanto tempo aqui...

A Baobá gosta do solo seco, mas eu rego todos os dias com água morna. Não gosto de ver ninguém com sede. As amizades também devem ser regadas todos os dias. Nem com muita água, nem com pouca.

Deixe-me contar um segredo: uma vez por ano, numa única noite, nasce uma solitária flor de cabeça para baixo, e a Baobá explode de vida e alegria.

A flor dura poucas horas e fede igual a carniça, mas é linda demais. Eu acho engraçado, porque a Baobá é ao contrário. Os galhos são secos para cima, parecem raízes. As folhas só brotam quando chove. Parece até que caiu do céu, de ponta-cabeça.

AN · CES

Devo tanto à Baobá, sabe? Sabedoria é comida que nos alimenta.

Existe uma coisa chamada ancestralidade. Antes dessa árvore, existiu outra árvore, antes existiu outra árvore, e mais outra, outra e outra... Antes de mim vieram os meus pais, os meus avós, os meus bisavós, os meus tataravós, os meus ta-ta-taravós... Todos eram reis, rainhas.

Como pode existir o hoje, o agora, se você não conhece o seu passado, a sua origem, as suas características? É assim que a gente conhece a nossa ancestralidade. Isso é sabedoria e ancestralidade.

.TRA - LIDADE

A minha pele é da cor desse solo. Quando eu rego fica mais escuro, cor de chocolate, de café quentinho. As cores são diferentes, iguais aos lápis de cor. Tem gente que fala que existe um lápis "cor de pele". Como assim? A pele pode ter tantos tons...

Eu sou negro! Um pouco mais claro que alguns negros e um pouco mais escuro que outros. É como a cor verde... Tem o verde-escuro e o verde-claro, mas nenhum dos dois deixa de ser verde. Eu gosto muito da minha cor e dos meus traços.

Minha boca é grande e curtida.
Olhe o meu sorriso, como é simpático e bonito!
Eu tenho nariz de batata. Eu adoro batata e adoro meu nariz.
Meus olhos são escuros como a noite. Também existem olhos claros, mas gosto dos meus olhos como eles são. Porque são meus.
Meu cabelo não é ruim. Ele não fala mal de ninguém. Antes eu cortava meu cabelo bem baixinho, mas agora estou deixando crescer. Quero que fique para cima igual aos galhos da Baobá. Vai crescer, crescer, crescer... Vai ficar forte, brilhoso, volumoso. Olhe para o céu! Ele será o limite.

Humm, cheiro de terra molhada. Acho que vai chover! Bom para eu ficar quietinho aqui, tocando uma música para minha árvore. Minha, não, não sou dono de nada.

Vou contar uma história. Uma vez eu estava triste aqui no meu canto. Não lembro o motivo. Porque tristeza, se veio, deve ir logo. O tempo estava um pouco fechado, vinha um cheiro de chuva, mas ainda não chovia. Só havia muitos raios.

Você sabia que, para alguns, os raios são dois guerreiros lutando? Na verdade são uma guerreira e um guerreiro: Iansã e Xangô. Assim, cada vez que suas espadas se tocam, faz um grande barulho de explosão.

Mas voltando à minha história. De repente, começou a ventar muito. Olhei para o céu e vi uma pipa que voava feito uma bailarina no ar. Era a minha chance de voar e conhecer outros planetas. Espalhar as minhas sementes.

Então, a pipa ficou presa nos galhos da Baobá. Pedi licença e subi, subi, subi. Quando veio um vento mais forte, me desequilibrei e a Baobá não conseguiu me segurar com seus galhos. Agarrei a linha da pipa, que foi me levando para longe, cada vez mais distante. Cada vez mais alto. Eu ia vendo o meu planeta diminuindo. A Baobá ficando pequena, minúscula. Até que vi um planeta como o meu, mas sem árvore. Havia um homem com barba branca, um manto vermelho de um metro... Não, com dois, três, quatro metros! Um manto enorme. Só havia um trono e um rei.

O PLANETA DO REI

O planeta é um pouco maior do que o do Pequeno Príncipe Preto. O rei, único habitante, gosta muito de dar ordens. Ele vive sozinho, porque ninguém aguenta uma pessoa que só resmunga e é egoísta.

— Um milhão, dois milhões, três milhões... Eu sou tão rico, mas tão rico que fico cansado de contar quantas estrelas tenho. É tudo meu! Aqui eu sou o dono de tudo, tenho tudo. Quer dizer, só falta alguém para dizer quanto sou lindo e poderoso e me aplaudir. É meio sem graça aplaudir a si mesmo.

Voltarei para as minhas contas... Quatro milhões, cinco milhões... O que é aquilo que vem do céu? É um menino em uma pipa! Ele caiu agora e está cavando um buraco na terra. Que semente é aquela? Como ousa entrar no MEU planeta sem pedir licença? Eu permito que você ouse entrar no meu planeta sem pedir licença.

Eu sou o dono disso tudo aqui! O mais belo e simpático. Eu sou rico! Vamos, menino, me aplauda com fervor! Que cara é essa? Não quer me aplaudir? Tudo bem, eu ordeno que você não me aplauda. Mas só por agora. Eu vou dar um tempo para você perceber quanto eu sou majestoso, insubstituível, genial, inteligente, incrível...

Menino, não espirre no MEU planeta! Tudo bem, eu permito que você espirre! Não corra! Não corra por aí, não, garoto... Ah, então eu desejo que você corra até cansar.

Que audácia! Não se sente no meu trono! Nossa, vou pegar um casaco, começou a ventar. Acho que vai chover. Humm, cheiro de terra molhada. O quê? Está indo embora do meu planeta? Quem deixou? Então vá, eu deixo você ir.

Mas por que não fica mais um pouco? Tenho cocadas, balas. Fique, vai ter bolo! Eu lhe dou um cargo. Você será o meu embaixador. Não, o meu conselheiro. Mas conselho para quê? Eu sei de tudo. Não necessito de ninguém! Nãoooo, estou brincando. Quantas estrelas você quer para ficar?

Mais uma vez sozinho, não sei por quê.

Um milhão, dois milhões, três milhões...

O PLANETA TERRA

O planeta é grande, muito maior do que o planeta do Pequeno Príncipe Preto e o do rei. Diferente do rei solitário, esse planeta é cheio de gente e de bichos. Um planeta azul, onde moram bilhões de pessoas. Cada um de um jeito, de uma cor, de uma forma diferente de viver.

— Que sorte a minha! Ventou tão forte que aproveitei e corri. Quer dizer, voei.

Nossa, o rei fala muito! Não entendo os adultos, acham que têm tudo, mas eles não têm nada. Eu não quero estrelas, quero ter afeto. Quero um sorriso, quero um abraço, quero poder conversar, tomar um suco de melancia com tangerina junto de um amigo. Se nada disso existir, as estrelas nunca serão o suficiente.

Não quero ser o mais-mais-mais nada. Muito tempo gasto pensando somente em si. E o nós?!

Plantei uma semente da Baobá naquele triste planeta. Quando ela crescer e virar muda, já será suficiente para o rei entender o que é UBUNTU.

Então a ventania me levou para mais longe. A pipa me deixou num planeta azul. Eu me lembrei do que a Baobá tinha me falado sobre esse planeta com mais água do que terra.

Estranho, se tem mais água, por que se chama Terra?

A Baobá também disse que nele havia gente como eu. Estava viajando há dias, sozinho. Fiquei na busca de alguém com quem fazer amizade. Quando cheguei, andei, andei muito, porque esse planeta é grande, sabe? E nada! Até que ouvi uma voz bem bonita! Mas eu não via ninguém. Será que era minha imaginação?

O planeta terra da raposa

— Olá! Não adianta me procurar, você não vai me ver. Já percebi que não é daqui. Eu o vi voando com a pipa. Estou aqui, debaixo da macieira. Talvez você tenha medo de mim. Talvez não. Eu sou uma raposa. Não posso brincar, não posso correr. Tudo porque você não me cativou ainda. Hummm, o que é isso? Parece um terremoto dentro de mim. Humm, é que me deu fome. Queria uma galinha. Um frango à passarinho, com vinagrete e farofa com ovo de galinha.

A minha vida é chaaaaaaaaaaaaata. Eu caço galinhas e os homens me caçam.

Você é muito parecido com os homens daqui. A diferença é que você ainda é pequeno, tem pipa e não tem arma. É muito garoto para ser caçador de raposa. Mas, mesmo assim, ficarei aqui escondida. Vai que você vira adulto em um passe de mágica e então começa a caçar raposa. Não quero virar chapéu, churrasquinho nem casaco de madame.

Você é como cem mil garotos que já conheci. Da mesma forma, se tiver raposas no seu planeta, eu serei como cem mil raposas. Agora, se você me cativa... Se você me cativa! Se criarmos um laço um com o outro, aí será diferente. Nós teremos necessidade um do outro. Você será para mim único no mundo. E eu serei para você única raposa. Seremos um dia de sol nas férias. Ou uma tarde comendo arroz-doce, pé de moleque. Mas é preciso ser paciente, um dia após o outro. Menino, não há nada melhor do que uma amizade sincera.

Agora pode ir embora, antes que eu me apegue a você. Se achar que mereço uma visita sua, pode retornar. Mas volte na mesma hora. Se você vem às quatro da tarde, desde as três eu começarei a ser feliz. Quanto mais o ponteiro do relógio vai se aproximando da hora da sua chegada, mais me sentirei feliz. Mas é melhor você ir embora... Guardarei esse encontro feito sonho bom. Ah, seja sempre sincero com os seus sentimentos. Se for cativar alguém, seja você mesmo. Seja sempre claro com o que sente. A palavra "afeto" vem de afetar o outro. Afete com verdade.

Eu falando aqui, e você com pressa...

Você estava indo para a estrada errada, por ali é menos perigoso. Chegou a hora da sua partida. Vá, antes que chegue a noite. Acho que vou cair no choro. Eu sou assim, feito uma manteiga derretida. Vocês viajantes vão e deixam saudade. Adeus!

— MOÇO?
— TUDO BEM?
— MOÇO?!

O planeta Terra e o Pequeno Príncipe Preto

— Fiquei com vontade de juntar a raposa com aquele rei, para um afetar o outro. Uma tem amor de mais e o outro tem amor de menos.

Não entendi uma coisa. Ela disse: "Você é como cem mil garotos que já conheci." Não sou, não. Cativando ou não as pessoas, nós somos únicos. Não dá para se comparar a nenhum outro ser.

Eu queria muito ficar tempo suficiente para virarmos amigos. Mas preferi caminhar. Em poucos dias, já havia deixado três conhecidos para trás. Achei que isso não era bom.

O que era aquilo que estava se mexendo?! Era um ser parecido comigo! Só que não era mais criança como eu. Gente adulta!

"Moço? Tudo bem? Moço?!"

Não respondeu! Que grosseiro! Saiu sem falar comigo.

Nossa, tinha mais uma ali.

"Senhora?! Como vai?"

Eram tantos, mas ninguém se falava. Ninguém olhava no olho do outro. Também ninguém falava comigo. Não largavam umas caixas pequenas iluminadas. Era tudo tão rápido, mas parecia que não estavam aproveitando o tempo. Não tinha abraço, não tinha sorriso.

"Oi! Eu sou o Pequeno Prínci... Deixa pra lá!"

Fiquei pensando: *Eu viajei tão longe, para quê?! Assim não vale a pena ficar aqui. Mas como vou embora? Não venta, não tem cheiro de terra molhada. Queria uma ventania tão grande, tão grande... Que eu chegaria ao meu planeta em segundos.*

Só tinha uma semente da Baobá. Lá aquele povo precisaria de milhares de sementes, de milhares de Baobás. Precisaria de UBUNTU.

Eu me senti tão sozinho, só queria ir para casa. Abraçar a Baobá, recarregar a energia. Por que a gente cresce? Para perder os sonhos, deixar de ver estrelas. O tempo parece correr deles. Como se aproveita a vida, sem parar para contemplá-la? Não quero deixar de sentir o cheiro doce da vida. Porque, para mim, a vida tem gosto de goiabada com queijo. Gosto também de caruru e quindim.

Aí, fui andando até a sola do meu sapato descolar. Andei tanto que parecia ter dado a volta no planeta. E olhe que esse planeta não era do tamanho do meu. Estava pensando naqueles adultos com cara de não terem sonhos. Até que comecei a ouvir sorrisos. Gargalhadas de erês. Tantas crianças! Algumas tinham umas bolsas pesadas e esquisitas nas costas.

"Para onde vocês estão indo?", perguntei.

"Para a escola!"

Elas responderam!

Elas pouco corriam, brincavam somente com jogos eletrônicos. Os bonecos e as bonecas não se pareciam com a maioria das crianças. E a maioria das crianças se parecia comigo. Havia cor para menino e cor para menina. Ué, cor é cor. Dá para acreditar que as brincadeiras também eram separadas?!

Elas não se chamavam pelo nome, mas, sim, por apelidos que davam tristeza. As crianças não viviam livres, a escola tinha muros altos e grades.

"Posso brincar com vocês?"

Alguns riram do meu sotaque e da forma como eu me vestia.

"Ele fala cantando."

"Lembra voz de quem está com preguiça."

"A sua roupa é tão esquisita, não é roupa de menino."

"Você não parece normal."

"O que é normal?"

Quiseram tocar no meu cabelo, sem pedir licença.

"Não toquem no meu cabelo!"

O mais estranho era eles não serem unidos, todas as brincadeiras tinham disputa. Eram simplesmente para competir. "Que vença o melhor", falavam eles. Havia o dono da bola, e todos tinham que fazer do jeito dele.

"A bola é minha. Se não me escolherem, eu não empresto."

Eu me lembrei do rei, que contava estrelas e era triste. Não queria que aquelas crianças crescessem como ele ou como aqueles adultos correndo contra o tempo. Aí eu gritei:

"UBUNTU!"

Todos pararam para saber o que significava UBUNTU. Peguei um cesto cheio de balas e coloquei debaixo de uma árvore. Chamei as crianças e disse:

"Quando eu falar 'já', vocês devem sair correndo até o cesto. Quem chegar primeiro ganhará todas as balas."

Falei "já"! Elas correram, se empurraram, algumas se machucaram e outras trapacearam. Mais uma vez eu gritei:

"UBUNTU!"

"Por que vocês não dão as mãos e vão juntas e juntos? Por que não fazem UBUNTU? Eu sou porque nós somos! UBUNTU significa 'nós por nós'! Se forem assim, juntos e juntas, todos vão ganhar as balas. Todos serão vencedores. Como um de vocês pode ficar feliz se todos os outros estiverem tristes, sem bala?"

As crianças se olharam e se abraçaram. Aquele lugar começava a me encher de esperança. Resolvi plantar a última semente da Baobá.

De repente, um cheiro de terra molhada. Sabia que já vinha uma ventania. Tinha de me apressar, porque pipa não combina com chuva. Eu me despedi dos meus novos amigos. Já estava cheio de saudade da Baobá, do planeta, de casa.

A pipa me levou para o alto.

"Adeus, meus amigos. Até um dia. Vocês são lindos, fortes! Vocês podem ser tudo o que quiserem: astronauta, professor, engenheira, ator, príncipe e princesa. Ah, e nunca deixem de sonhar, de olhar para as estrelas. Modupé, obrigado!"

UBUNTU
UBUNTU
UBUNTU
UBUNTU UBUNTU
UBUNTU

DE VOLTA

— E, enfim, cheguei em casa! Acho que viajo para sentir saudade daqui e voltar mais feliz. Valorizando cada canto, cada detalhe.

Benção, Baobá! É assim que faço quando volto: peço minha benção. Eu tinha tanta coisa para contar à Baobá. Eu tinha conhecido tanta gente. Cada um de um jeito, com seus medos, suas alegrias e correrias. Mas no fundo, no fundo... Todos querendo amor.

E contei a ela como aquela tinha sido a maior aventura da minha vida. Tinha deixado as suas sementes em lugares muito especiais, assim como eu prometera. Só que elas acabaram. A Baobá havia me dito que não conseguiria me dar mais. Muita gente e muitos lugares precisariam de empatia, de afeto, de carinho e de respeito. De onde eu ia tirar mais sementes?

Aí eu reparei que ela estava em silêncio. Estava tão fraquinha, mesmo com toda a água que eu havia deixado. A Baobá chorava feito uma cachoeira de Oxum. Estava chegando a hora! Eu a amava tanto!

A Baobá me disse que, mesmo durante milênios, ela um dia partiria. Seria a minha ancestralidade. Disse que outra árvore viria. E que quando eu sentisse saudade dela era só olhar para as estrelas. Ela ia, para que outra árvore pudesse brotar na terra.

Meu coração ficou apertado, mas eu sempre lembro que ela está lá em cima, no Orun, olhando por mim. Ela reencontrou nossos antepassados.

No fundo, quando quem a gente ama vai embora, vira encantado e mora dentro da gente, no coração.

Olorun kosi pure — Que esteja na paz.

A minha história terminou assim: quando a Baobá se foi, olhei para baixo e vi uma muda no solo. Outra Baobá! Uma pequena Baobá! Comecei a regá-la, para que gerasse muitas e muitas sementes.

Agora, quando chegar a próxima ventania...
UBUNTU!

A obra *O Pequeno Príncipe Preto* tem ingredientes da minha família: um pouco de minha vovó Bené, que me ensinou sobre ancestralidade; de meus pais, que me educaram valorizando a cultura negra; e de meus irmãos, que são apaixonados pela filosofia Ioruba.

Este livro surgiu a partir do espetáculo de mesmo nome, escrito e dirigido por mim no ano de 2018. A peça teve a intenção de mostrar às crianças, jovens e adultos o quanto somos potentes na diversidade cultural do Brasil. Nela, como neste livro, abordei tudo o que ouvi durante a minha infância e que gostaria que todo mundo também ouvisse: devemos amar quem realmente somos! Só no primeiro ano da peça foram mais de quarenta mil espectadores levando para o mundo uma semente de esperança.

Crianças pequenas e grandes, se amem! Vivam o Ubuntu. A vida é mais linda quando estamos juntos, respeitando o outro e semeando amor.

Rodrigo França é articulador cultural, ator, diretor, dramaturgo e artista plástico. Cientista social e filósofo político e jurídico, já atuou como pesquisador, consultor e professor de direitos humanos fundamentais. É ativista pelos direitos civis, sociais e políticos da população negra. Já expôs suas pinturas no Brasil, nos Estados Unidos e em Portugal. Ganhou o Prêmio Shell de Teatro 2019, na categoria Inovação, pelo seu Coletivo Segunda Black, que também foi contemplado com o 18.º Prêmio Questão de Crítica. Em 1992 começou a sua carreira de ator no teatro e no cinema. Já trabalhou em 42 espetáculos como ator e oito como diretor. Escreveu sete peças teatrais, entre elas, *O Pequeno Príncipe Preto*. Seus últimos trabalhos foram *Oboró: Masculinidades Negras* e *O amor como revolução*, do qual também assina a direção.

Juliana Barbosa Pereira é uma jovem ilustradora, animadora e designer que embarcou de corpo e alma desde o início, ao lado do autor e diretor Rodrigo França e equipe, para realizar a peça *O Pequeno Príncipe Preto*. Hoje ela assina as ilustrações do livro.

Responsável pela identidade visual do projeto, Juliana Barbosa, que ama e desenha desde pequena, entrou em contato com a criança que vive dentro dela para realizar as ilustrações do livro. Foi um processo leve, gostoso e muito importante.

Direção editorial
Daniele Cajueiro

Editora responsável
Mariana Elia

Produção editorial
Adriana Torres
Nina Soares

Revisão
Eduardo Carneiro

Capa, projeto gráfico e diagramação
Larissa Fernandez Carvalho
Leticia Fernandez Carvalho

Este livro foi impresso em 2022
para a Nova Fronteira.